AF573232

Ein Tribut an Barbra Streisand

Die illustrierte Biografie

KINDHEIT UND JUGEND

Barbra Streisand wurde am 24. April 1942 in Brooklyn, New York City, geboren. Sie ist die Tochter von Diana Ida und Emanuel Streisand. Ihre Mutter, die in ihrer Jugend eine Sopranistin war und eine musikalische Karriere in Betracht zog, arbeitete später als Sekretärin an einer Schule. Ihr Vater war an derselben Schule als Lehrer tätig und es war der Ort, an dem sie sich zum ersten Mal trafen. Die Familie Streisand ist jüdischer Abstammung. Ihre väterlichen Großeltern kamen aus Galizien. Im August 1943, nur wenige Monate nach Streisands erstem Geburtstag, starb ihr Vater im Alter von 34 Jahren an den Folgen eines epileptischen Anfalls, möglicherweise infolge einer Kopfverletzung, die er Jahre zuvor erlitten hatte.

In ihrer Jugend fühlte sie sich stets als "Außenseiterin". Sie erklärte, dass im Gegensatz zu den Vätern ihrer Altersgenossen, ihr eigener Vater nicht am Ende des Tages von der Arbeit nach Hause kam. Ihre Mutter bemühte sich, die Rechnungen zu bezahlen, konnte jedoch ihrer Tochter nicht die gewünschte Aufmerksamkeit schenken. Streisand erinnert sich: "Wenn ich Liebe von meiner Mutter wollte, gab sie mir Essen." Sie erinnerte sich auch daran, dass ihre Mutter eine "großartige Stimme" hatte und gelegentlich semi-professionell sang. In einem Interview mit Rosie O'Donnell im Jahr 2016 erzählte Streisand, dass sie und ihre Mutter einige Lieder auf Band aufgenommen hatten, als sie 13 Jahre alt war und die Catskills besuchten. Diese Session war das erste Mal, dass Streisand sich als Künstlerin versuchte und markierte ihren "ersten Moment der Inspiration". Streisand hat einen älteren Bruder namens Sheldon und eine Halbschwester, die Sängerin Roslyn Kind, die aus der Wiederverheiratung ihrer Mutter mit Louis Kind im Jahr 1950 stammt.

Im Bild: Barbra Streisand 1972 während der Studioaufnahmen für "What's Up, Doc?"

Streisand startete ihre schulische Laufbahn an der jüdisch-orthodoxen Yeshiva in Brooklyn im Alter von fünf Jahren. Sie galt als intelligent und neugierig, zeigte jedoch wenig Disziplin und rief oft ungefragt Antworten in den Unterricht hinein. Ihre nächste Station war die öffentliche Schule in Brooklyn. In dieser Zeit begann sie, Fernsehen zu schauen und ins Kino zu gehen. "Ich wollte immer jemand sein, berühmt sein... Weißt du, aus Brooklyn herauskommen.", erinnert sie sich. In ihrer Nachbarschaft wurde sie für ihre Stimme bekannt. Sie erinnert sich daran, wie sie auf den Stufen vor ihrem Wohnhaus saß und mit den anderen Kindern sang: "Ich galt als das Mädchen aus der Nachbarschaft mit der guten Stimme." Dieses Talent wurde zu einem Weg, Aufmerksamkeit zu erlangen. Sie übte oft das Singen im Flur ihres Wohnhauses, was ihrer Stimme einen hallenden Klang verlieh. Ihr Gesangsdebüt gab sie bei einer PTA-Versammlung, wo sie bei allen außer ihrer Mutter, die meist kritisch mit ihrer Tochter war, gut ankam. Streisand wurde eingeladen, auf Hochzeiten und im Sommerlager zu singen, und hatte mit neun Jahren eine erfolglose Vorsingprobe bei MGM Records.

Als Streisand 13 Jahre alt war, begann ihre Mutter, ihre Begabung zu fördern und half ihr dabei, ein Demo-Tape mit vier Liedern zu erstellen, darunter "Zing! Went the Strings of My Heart" und "You'll Never Know". Ihr Hauptziel war es, Schauspielerin zu werden, ein Wunsch, der noch verstärkt wurde, als sie mit 14 Jahren ihr erstes Broadway-Stück, "Das Tagebuch der Anne Frank", sah. Sie war besonders beeindruckt von der Leistung der Hauptdarstellerin Susan Strasberg, deren Schauspielkunst sie nachahmen wollte.

Im Bild: Barbra Streisand 1968 am Set des romantischen Musicals "Funny Girl"

In ihrer Freizeit verbrachte Streisand viel Zeit in der Bibliothek, wo sie Biografien von Bühnenschauspielerinnen wie Eleanora Duse und Sarah Bernhardt studierte. Sie las auch Romane und Theaterstücke und beschäftigte sich mit den Schauspieltheorien von Konstantin Stanislavski und Michael Chekhov.

Im Jahr 1956 besuchte sie die Erasmus Hall High School in Brooklyn. Dort zeichnete sie sich als Ehrenschülerin in den Fächern moderne Geschichte, Englisch und Spanisch aus. Sie trat dem Freshman Chorus und dem Choral Club bei und sang dort zusammen mit einem anderen Chormitglied und Klassenkameraden, Neil Diamond. Diamond erinnert sich: "Wir waren zwei arme Kinder in Brooklyn. Wir hingen vor der Erasmus High herum und rauchten Zigaretten."

Im Bild: Barbra Streisand 1969 am Set des Films "Hello, Dolly"

Die Schule, die sie besuchte, lag in der Nähe eines Kunstkinos, und sie war stets über die dort gezeigten Filme informiert. Sie hegte Gefühle für den 15-jährigen US-Schachmeister und Mitschüler Bobby Fischer, den sie als "sehr sexy" empfand. Im Sommer 1957 sammelte sie ihre ersten Bühnenerfahrungen als Statistin im Playhouse in Malden Bridge, New York. Dieser kleine Auftritt wurde gefolgt von einer Rolle als jüngere Schwester in "Picnic! und als Verführerin in "Desk Set". Im zweiten Jahr nahm sie eine Nachtarbeit im Cherry Lane Theatre in Greenwich Village an und half hinter den Kulissen. Als Seniorin probte sie für eine kleine Rolle in "Driftwood", einem Stück, das in einem Dachbodenraum in Midtown aufgeführt wurde. Sie schloss die Erasmus Hall im Januar 1959 im Alter von 16 Jahren ab und trotz der Bitten ihrer Mutter, sich vom Showgeschäft fernzuhalten, versuchte sie, Rollen auf der New Yorker Bühne zu bekommen. Nachdem sie ein kleines Apartment in der 48th St. im Herzen des Theaterbezirks gemietet hatte, nahm sie jede Arbeit an, die mit der Bühne zu tun hatte, und nutzte jede Gelegenheit, um die Casting-Büros zu "besuchen".

Im Bild: Barbra Streisand 1972 am Set des Musicals "What's Up, Doc?"

KARRIEREBEGINN

In der Folge gab es Zeiten, in denen sie keine feste Adresse hatte und sich gezwungen sah, bei Freunden oder an anderen Orten zu schlafen, wo sie ihr mitgeführtes Feldbett aufstellen konnte. In Notzeiten kehrte sie zu ihrer Mutter nach Brooklyn zurück, um eine hausgemachte Mahlzeit zu bekommen. Ihre Mutter war jedoch entsetzt über den "Zigeuner-ähnlichen Lebensstil" ihrer Tochter, so die Biografin Karen Swenson, und flehte sie erneut an, den Versuch, ins Showgeschäft einzusteigen, aufzugeben. Streisand sah in den Bitten ihrer Mutter jedoch nur einen weiteren Grund, es weiter zu versuchen: "Meine Wünsche wurden durch den Wunsch verstärkt, meiner Mutter zu beweisen, dass ich ein Star sein kann." Anfang 1960 nahm sie eine Stelle als Platzanweiserin im Lunt-Fontanne Theater für "The Sound of Music" an. Während der Aufführung erfuhr sie, dass der Casting-Direktor weitere Sänger suchte, und dies war das erste Mal, dass sie sang, um eine Arbeit zu bekommen. Obwohl der Regisseur fand, dass sie nicht für die Rolle geeignet war, ermutigte er sie, ihr Talent als Sängerin in ihren Lebenslauf aufzunehmen, wenn sie nach anderer Arbeit suchte.

Im Bild: Barbra Streisand und Ryan O'Neal 1972 am Set des Musicals "What's Up, Doc?"

Barbra Streisand bat ihren damaligen Freund, Barry Dennen, sie beim Singen aufzunehmen, um diese Aufnahmen potenziellen Arbeitgebern vorlegen zu können.
Dennen war begeistert und überredete sie, an einem Talentwettbewerb im Lion, einem Schwulenclub im Greenwich Village in Manhattan, teilzunehmen. Sie sang zwei Lieder, nach denen es eine "betäubte Stille" vom Publikum gab, gefolgt von "tosenem Applaus", als sie zur Gewinnerin erklärt wurde. Sie wurde eingeladen, wiederzukommen und sang mehrere Wochen im Club. In dieser Zeit änderte sie, da sie ihren Namen nicht mochte, "Barbara" in "Barbra". In den Anfängen ihrer Karriere wurde Streisand immer wieder gesagt, sie sei zu hässlich, um ein Star zu sein, und man riet ihr zu einer Nasenoperation, aber sie lehnte ab.

Im Bild: Barbra Streisand und Robert Redford 1973 während der Dreharbeiten zu "The Way We Were"

NACHTCLUB – SHOWS

Streisand wurde daraufhin eingeladen, im Bon Soir Nachtclub vorzuspielen. Nach ihrem erfolgreichen Vorsingen wurde sie für $125 pro Woche engagiert. Dies markierte ihren ersten professionellen Auftritt im September 1960, bei dem sie als "Vorgruppe" für die Komikerin Phyllis Diller auftrat. Sie erinnert sich, dass es das erste Mal war, dass sie sich in einer solch gehobenen Umgebung befand: "Ich war noch nie in einem Nachtclub, bis ich in einem gesungen habe." Dennen wollte Streisand nun seine umfangreichen Schallplattensammlung von Sängerinnen vorstellen, darunter Billie Holiday, Mabel Mercer, Ethel Waters und Édith Piaf. Streisand erkannte, dass sie immer noch Schauspielerin werden konnte, indem sie zunächst als Sängerin Anerkennung fand. Aus seiner Sammlung wählte sie das Lied, das ihre Mission im Gesang am besten definierte: "A Sleepin' Bee", mit Musik von Harold Arlen und Texten von Truman Capote für das Musical "House of Flowers" von 1954.

Sie entwickelte ihren Gesangsstil weiter, indem sie sich von anderen herausragenden Sängerinnen beeinflussen ließ und verschiedene emotionale Charaktere in ihren Darbietungen schuf, was ihrer Stimme eine größere Bandbreite verlieh. Sie verbesserte ihre Bühnenpräsenz, indem sie zwischen den Liedern mit dem Publikum sprach. Sie stellte fest, dass ihr humorvoller Stil, der in Brooklyn geprägt wurde, gut ankam.

In den folgenden sechs Monaten, in denen sie im Club auftrat, begannen einige, ihre Singstimme mit berühmten Namen wie Judy Garland, Lena Horne und Fanny Brice zu vergleichen. Ihre Fähigkeit, das Publikum mit spontanem Humor während der Aufführungen zu bezaubern, wurde immer ausgefeilter und professioneller.

Im Bild: Barbra Streisand 1972 am Set des Musicals "What's Up, Doc?"

ERSTE ROLLEN UND THEATERDEBÜT

Streisand nahm ihre erste Rolle auf der New Yorker Bühne in dem satirischen Comedy-Stück "Another Evening with Harry Stoones" an, in dem sie sowohl schauspielerte als auch zwei Solos sang. Trotz der vernichtenden Kritiken und der sofortigen Schließung des Stücks am darauffolgenden Tag, gelang es ihr mit Unterstützung ihres neuen persönlichen Managers, Martin Erlichman, erfolgreiche Auftritte in Detroit und St. Louis zu absolvieren. Erlichman arrangierte für sie einen Auftritt in einem noch exklusiveren Nachtclub in Manhattan, dem Blue Angel, wo sie zwischen 1961 und 1962 noch größere Erfolge feierte. Streisand äußerte sich in der Tonight Show, in der sie ein Duett mit Jimmy Fallon sang, lobend über Erlichman und bezeichnete ihn als "fantastischen Manager", der auch nach 50 Jahren noch ihre Karriere betreute.

Im Bild: Barbra Streisand 1975 am Set des Musicals "Funny Lady"

Während ihrer Zeit im Blue Angel wurde sie von dem Theaterregisseur und Dramatiker Arthur Laurents gebeten, für ein neues Musical-Comedy-Stück, das er inszenierte, vorzusprechen: "I Can Get It for You Wholesale". Streisand erhielt die Rolle der Sekretärin des Hauptdarstellers, einem Geschäftsmann, der von dem damals unbekannten Elliott Gould gespielt wurde. Während der Proben verliebten sie sich und zogen schließlich gemeinsam in eine kleine Wohnung. Die Show hatte ihre Premiere am 22. März 1962 im Shubert Theater und wurde von der Kritik gefeiert. Ihre Darbietung "brachte die Show zum Stillstand", so Nickens. Groucho Marx, der Gastgeber der Tonight Show, sagte ihr, dass 20 Jahre ein "extrem junges Alter für einen Erfolg am Broadway" seien. Streisand wurde für einen Tony Award nominiert und erhielt den Preis der New Yorker Theaterkritiker für die beste Nebendarstellerin. Die Show wurde aufgezeichnet und als Album veröffentlicht.

Im Bild: Barbara Streisand und Kris Kristofferson 1976 am Set des Films "A Star is Born"

ERSTE TV-AUFTRITTE

Barbra Streisand trat erstmals im Fernsehen in der Tonight Show auf, die damals noch unter der Leitung ihres regulären Gastgebers Jack Paar stand. Ihre Performance wurde in einer Episode im April 1961 ausgestrahlt, in der Orson Bean Paar ersetzte. Sie interpretierte Harold Arlens Lied "A Sleepin' Bee". Während ihres Auftritts bezeichnete Phyllis Diller, die ebenfalls zu Gast in der Show war, sie als "eines der großen Gesangstalente der Welt". Später im Jahr 1961, bevor sie für "Another Evening With Harry Stoones" besetzt wurde, war sie eine halbregelmäßige Teilnehmerin bei PM East/PM West, einer Talk- und Varieté-Show, die von Mike Wallace und Joyce Davidson moderiert wurde. Einige von Streisands PM East-Segmenten sind als Tonaufnahmen erhalten geblieben, ebenso wie Fotografien, jedoch keine bewegten Bilder. Anfang 1962 ging sie ins Studio von Columbia Records, um die Cast-Aufnahme von "I Can Get It for You Wholesale" aufzunehmen. Im selben Frühjahr beteiligte sie sich an einer Studioaufnahme zum 25. Jubiläum von "Pins and Needles", einem klassischen Musical der Popular Front, das 1937 von der International Ladies' Garment Workers' Union ins Leben gerufen wurde. Die Kritiken zu beiden Alben hoben Streisands Darbietungen hervor. Im Mai 1962 trat Streisand in der Garry Moore Show auf, wo sie zum ersten Mal "Happy Days Are Here Again" sang.

Im Bild: Barbra Streisand 1979 in Los Angeles während der Studioaufnahmen für "The Main Event"

GESANGSKARRIERE

In der Anfangsphase ihrer Karriere wurde eine traurige, langsame Version des fröhlichen Themenlieds der Demokratischen Partei aus den 1930er Jahren zu ihrem Markenzeichen. Johnny Carson lud sie zwischen 1962 und 1963 mehrmals in seine Tonight Show ein, wo sie sowohl bei ihm als auch bei seinem Publikum sehr beliebt wurde. Er bezeichnete sie als "aufregende neue Sängerin". In einer der Shows scherzte sie mit Groucho Marx, der ihren Humor schätzte.

Im Dezember 1962 trat sie zum ersten Mal in der Ed Sullivan Show auf, was der Beginn einer Reihe von Auftritten war. Später war sie Co-Moderatorin in der Mike Douglas Show und hinterließ auch in mehreren Bob Hope Specials einen bleibenden Eindruck. Bei ihrem Auftritt in der Ed Sullivan Show trat sie mit Liberace auf, der sofort ein Fan der jungen Sängerin wurde. Er lud sie nach Las Vegas ein, um in seinem Vorprogramm im Riviera Hotel aufzutreten. Liberace wird die Ehre zuteil, Barbra Streisand dem Publikum an der Westküste vorgestellt zu haben. Im folgenden September, während ihrer laufenden Shows im Harrah's Hotel in Lake Tahoe, nahmen sie und Elliott Gould eine Auszeit, um in Carson City, Nevada, zu heiraten. Da ihre Karriere und Popularität so schnell stiegen, betrachtete sie ihre Ehe mit Gould als "stabilisierenden Einfluss".

Im Bild: Barbra Streisand, aufgenommen 1980

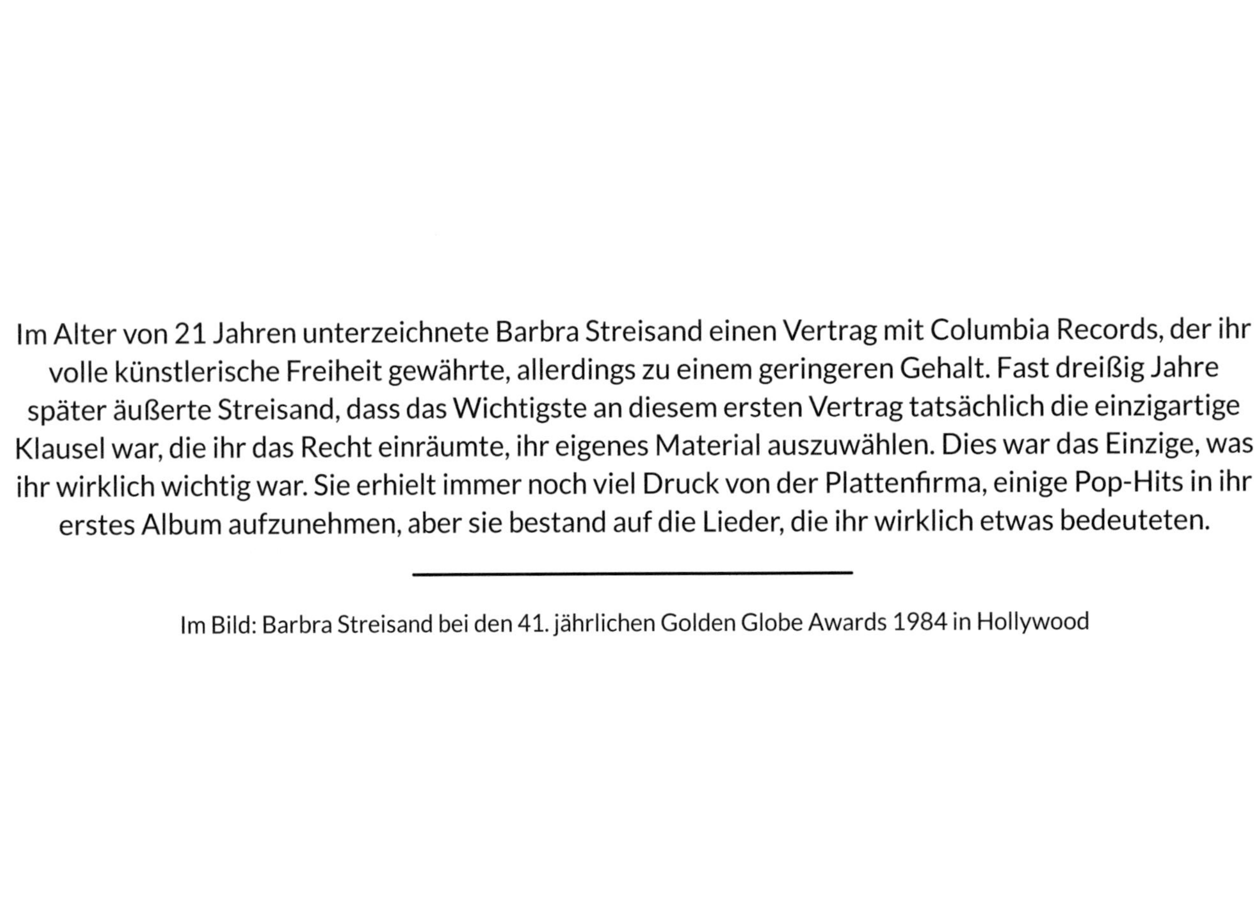

Im Alter von 21 Jahren unterzeichnete Barbra Streisand einen Vertrag mit Columbia Records, der ihr volle künstlerische Freiheit gewährte, allerdings zu einem geringeren Gehalt. Fast dreißig Jahre später äußerte Streisand, dass das Wichtigste an diesem ersten Vertrag tatsächlich die einzigartige Klausel war, die ihr das Recht einräumte, ihr eigenes Material auszuwählen. Dies war das Einzige, was ihr wirklich wichtig war. Sie erhielt immer noch viel Druck von der Plattenfirma, einige Pop-Hits in ihr erstes Album aufzunehmen, aber sie bestand auf die Lieder, die ihr wirklich etwas bedeuteten.

Im Bild: Barbra Streisand bei den 41. jährlichen Golden Globe Awards 1984 in Hollywood

Barbra Streisand hat während ihrer Karriere mehrmals von der speziellen Klausel ihres Vertrags zur künstlerischen Freiheit Gebrauch gemacht. Als Columbia Records Anfang 1963 ihr erstes Album unter dem Titel "Sweet and Saucy Streisand" veröffentlichen wollte, bestand sie darauf, dass es "The Barbra Streisand Album" genannt wurde. Sie argumentierte, dass es logisch sei, dass diejenigen, die sie im Fernsehen gesehen hatten, einfach in den Plattenladen gehen und nach dem "Barbra Streisand Album" fragen könnten. Das Album schaffte es in die Top 10 der Billboard-Charts und gewann drei Grammy Awards. Damit wurde sie zur meistverkauften Sängerin des Landes. Im selben Sommer brachte sie "The Second Barbra Streisand Album" heraus, was ihr den Ruf einbrachte, die "aufregendste neue Persönlichkeit seit Elvis Presley" zu sein. Sie beendete das Durchbruchsjahr 1963 mit Einzelkonzerten in Indianapolis, San Jose, Chicago, Sacramento und Los Angeles.

Im Bild: Mandy Patinkin und Barbara Streisand 1984 auf dem Set des Films "Yentl"

Im Jahr 1964 kehrte Streisand mit einer gefeierten Darbietung als Unterhalterin Fanny Brice in "Funny Girl" im Winter Garden Theatre auf den Broadway zurück. Die Show brachte zwei ihrer bekanntesten Lieder hervor, "People" und "Don't Rain on My Parade". Aufgrund des sofortigen Erfolgs des Musicals schaffte sie es auf das Cover der Time. Im selben Jahr wurde Streisand für einen Tony Award als beste Hauptdarstellerin in einem Musical nominiert, unterlag jedoch Carol Channing in "Hello, Dolly!". 1970 erhielt Streisand den Ehren-Tony-Award "Star des Jahrzehnts". 1966 wiederholte sie ihren Erfolg mit "Funny Girl" im Londoner West End im Prince of Wales Theatre. Zwischen 1965 und 1968 trat sie in ihren ersten vier Solo-Fernsehspecials auf, darunter das mit einem Emmy Award ausgezeichnete "My Name is Barbra".

Streisand hat 50 Studioalben aufgenommen, fast alle bei Columbia Records. Ihre frühen Arbeiten in den 1960er Jahren (ihr Debüt "The Barbra Streisand Album", "The Second Barbra Streisand Album", "The Third Album", "My Name Is Barbra") gelten als klassische Interpretationen von Theater- und Kabarettstandards, einschließlich ihrer nachdenklichen Version des normalerweise temporeichen "Happy Days Are Here Again". Sie sang dieses Lied im Duett mit Judy Garland in The Judy Garland Show. Garland bezeichnete sie in der Sendung als eine der letzten großen Belterinnen. Sie sangen auch "There's No Business Like Show Business", wobei Ethel Merman sich ihnen anschloss. Ab "My Name Is Barbra" waren ihre frühen Alben oft mit Medleys gefüllte Andenken an ihre Fernsehspecials. Ab 1969 versuchte sie sich an zeitgenössischerem Material, fand sich aber wie viele talentierte Sängerinnen der Zeit mit Rock überfordert. Ihre stimmlichen Talente setzten sich durch, und sie erlangte mit dem pop- und balladenorientierten, von Richard Perry produzierten Album "Stoney End" im Jahr 1971 neuen Erfolg. Der Titeltrack, geschrieben von Laura Nyro, war ein großer Hit für Streisand.

Im Bild: Barbra Streisand als Claudia Draper auf dem Set des Films "Nuts" 1987

In den 1970er Jahren war sie auch in den Pop-Charts sehr präsent, mit Top-10-Aufnahmen wie "The Way We Were" (US Nr. 1); "Evergreen (Love Theme from A Star Is Born)" (US Nr. 1); "No More Tears (Enough Is Enough)" (1979, mit Donna Summer), das laut Berichten von 2010 immer noch das kommerziell erfolgreichste Duett ist, (US Nr. 1); "You Don't Bring Me Flowers" (mit Neil Diamond) (US Nr. 1) und "The Main Event" (US Nr. 3). Einige davon stammen aus Soundtrack-Aufnahmen ihrer Filme. Als die 1970er Jahre zu Ende gingen, wurde Streisand zur erfolgreichsten Sängerin in den USA ernannt - nur Elvis Presley und The Beatles hatten mehr Alben verkauft. Im Jahr 1980 veröffentlichte sie ihr bis dahin meistverkauftes Werk, das von Barry Gibb produzierte "Guilty". Das Album enthielt die Hits "Woman in Love" (mehrere Wochen im Herbst 1980 an der Spitze der Pop-Charts), "Guilty" und "What Kind of Fool". Nach Jahren, in denen sie Broadway und traditionelle Popmusik zugunsten zeitgenössischerer Materialien weitgehend ignoriert hatte, kehrte Streisand zu ihren Wurzeln im Musiktheater zurück. Columbia Records wandte ein, dass die Lieder, die sie singen wollte, keine Pop-Songs seien, aber Streisand bestand auf der vollen kreativen Kontrolle, die ihr Vertrag ihr einräumte. Mit dem 1985er "The Broadway Album", das überraschend erfolgreich war, hielt sie die begehrte Nr. 1-Billboard-Position für drei aufeinanderfolgende Wochen und wurde mit vierfach Platin ausgezeichnet. Das Album enthielt Melodien von Rodgers und Hammerstein, George Gershwin, Jerome Kern und Stephen Sondheim, der überredet wurde, einige seiner Lieder speziell für diese Aufnahme umzuarbeiten. "The Broadway Album" wurde mit Begeisterung aufgenommen, einschließlich einer Grammy-Nominierung für das Album des Jahres, und brachte Streisand ihren achten Grammy als beste weibliche Sängerin ein.

Im Bild: Barbra Streisand 1991 bei den Dreharbeiten zu "The Prince of Tides"

PANAFLEX
1355

Nach der Veröffentlichung des Live-Albums "One Voice" im Jahr 1986, war Streisand bereit, 1988 ein weiteres Album mit Broadway-Songs zu veröffentlichen. Sie nahm mehrere Stücke für das Album unter der Leitung von Rupert Holmes auf, darunter "On My Own" (aus Les Misérables), ein Medley von "How Are Things in Glocca Morra?", "Heather on the Hill" (aus Finian's Rainbow und Brigadoon), "All I Ask of You" (aus The Phantom of the Opera), "Warm All Over" (aus The Most Happy Fella) und eine ungewöhnliche Solo-Version von "Make Our Garden Grow" (aus Candide). Sie war jedoch mit dem Verlauf des Projekts unzufrieden und es wurde verworfen. Nur "Warm All Over" und eine überarbeitete, radiotaugliche Version von "All I Ask of You" wurden veröffentlicht, letztere auf Streisands Album "Till I Loved You" von 1988.

In den 1990er Jahren konzentrierte sich Streisand mehr auf ihre Regiearbeit im Film und war kaum noch im Aufnahmestudio aktiv. 1991 wurde eine vier CDs umfassende Box mit dem Titel "Just for the Record" veröffentlicht. Diese Sammlung, die Streisands gesamte Karriere bis dahin umfasste, enthielt über 70 Tracks mit Live-Auftritten, größten Hits, Raritäten und bisher unveröffentlichtem Material.

Im folgenden Jahr trug Streisand mit ihren Benefizkonzerten dazu bei, den damaligen Präsidenten Bill Clinton ins Rampenlicht und ins Amt zu bringen. Sie stellte Clinton auch bei seiner Amtseinführung 1993 vor. Ihre Musikkarriere lag jedoch weitgehend auf Eis. Ein Auftritt bei einer APLA-Benefizveranstaltung 1992 und der bereits erwähnte Auftritt bei der Amtseinführung ließen vermuten, dass Streisand offener für Live-Auftritte wurde. Eine Tournee wurde vorgeschlagen, aber Streisand zögerte zunächst, sich dazu zu verpflichten, da sie unter bekannter Bühnenangst litt und Sicherheitsbedenken hatte.

Im Bild: Barbra Streisand, aufgenommen 1992

Im September 1993 kündigte Streisand ihre ersten öffentlichen Konzertauftritte seit 27 Jahren an (abgesehen von ihren Las Vegas Clubauftritten zwischen 1969 und 1972). Was als zweitägige Silvester-Veranstaltung im MGM Grand Las Vegas begann, führte zu einer Tournee durch mehrere Städte im Sommer 1994. Die Tickets für die Tournee waren in weniger als einer Stunde ausverkauft. Streisand erschien auch auf den Titelseiten großer Zeitschriften im Vorfeld dessen, was das Time Magazine als "Das Musikereignis des Jahrhunderts" bezeichnete.

Die Tournee war einer der größten Medien-Merchandising-Coups aller Zeiten. Die Ticketpreise lagen zwischen 50 und 1.500 US-Dollar, was Streisand zur damals bestbezahlten Konzertkünstlerin der Geschichte machte. "Barbra Streisand: The Concert" wurde zum umsatzstärksten Konzert des Jahres und gewann fünf Emmy Awards und den Peabody Award. Die auf HBO ausgestrahlte Aufzeichnung war das meistgesehene Konzert-Special in der 30-jährigen Geschichte des Senders. Nach Beendigung ihrer Tournee zog sich Streisand musikalisch zurück und konzentrierte sich auf ihre Schauspiel- und Regiearbeit sowie auf ihre aufkeimende Beziehung zu dem Schauspieler James Brolin. 1996 veröffentlichte sie zusammen mit dem kanadischen Sänger und Songwriter Bryan Adams das Duett "I Finally Found Someone". Dieser Song, der Teil des Soundtracks ihres selbst inszenierten Films "The Mirror Has Two Faces" war, wurde für einen Oscar nominiert. Er erreichte Platz 8 in den Billboard Hot 100 und war ihr erster bedeutender Hit seit fast einem Jahrzehnt und ihr erster Top-10-Hit (und erste Gold-Single) seit 1981.

1997 kehrte sie schließlich ins Aufnahmestudio zurück und veröffentlichte "Higher Ground", eine Sammlung von Liedern mit locker inspirierendem Charakter, darunter auch ein Duett mit Céline Dion. Das Album erhielt überwiegend positive Kritiken und debütierte erneut auf Platz 1 der Pop-Charts. Nach ihrer Hochzeit mit Brolin im Jahr 1998 nahm Streisand im folgenden Jahr "A Love Like Ours" auf. Die Kritiken waren gemischt, viele Kritiker bemängelten die etwas zuckersüßen Gefühle und die übermäßig üppigen Arrangements. Dennoch brachte es Streisand einen bescheidenen Hit mit dem Country-angehauchten "If You Ever Leave Me", einem Duett mit Vince Gill.

Im Bild: Barbra Streisand 1995 auf dem Set von "Mirror Has Two Faces"

Am Silvesterabend 1999 kehrte Streisand auf die Konzertbühne zurück und war innerhalb weniger Stunden ausverkauft. Am Ende des Jahrtausends war sie die Nummer eins unter den Sängerinnen in den USA, mit mindestens zwei Nr. 1-Alben in jedem Jahrzehnt seit Beginn ihrer Karriere. Ein zweifach live aufgenommenes Album, "Timeless: Live in Concert", wurde im Jahr 2000 veröffentlicht. Streisand führte Versionen des "Timeless"-Konzerts Anfang 2000 in Sydney und Melbourne, Australien, auf.

Vor vier Konzerten (zwei in Los Angeles und zwei in New York) im September 2000 kündigte Streisand an, dass sie sich von öffentlichen Konzerten zurückziehen werde. Ihre Darbietung des Liedes "People" wurde im Internet über America Online ausgestrahlt. Zu Streisands nachfolgenden Alben gehörten "Christmas Memories" (2001), eine eher düstere Sammlung von Weihnachtsliedern, und "The Movie Album" (2003), das bekannte Filmmelodien enthält und von einem großen Sinfonieorchester begleitet wird.

Im selben Jahr kündigte Streisand an, wieder auf Tournee gehen zu wollen. Nach vier Tagen Probe in der Sovereign Bank Arena in Trenton, New Jersey, begann die "Streisand-Konzerttournee 2006" am 4. Oktober im Wachovia Center in Philadelphia, machte einen besonderen Halt in Sunrise, Florida, und endete am 20. November 2006 im Staples Center in Los Angeles. Die musikalische Gruppe Il Divo traten während der gesamten Show als besondere Gäste auf. Mit ihren 20 Konzerten stellte Streisand neue Rekorde an den Kassen auf. Im Alter von 64 Jahren erzielte sie Einnahmen von 92.457.062 Dollar und stellte in 14 der 16 auf der Tour bespielten Arenen neue Hausrekorde auf.

Im Bild: Barbra Streisand und James Brolin 1997 bei der 69. Oscarverleihung in Los Angeles

Im Februar 2008 listete Forbes Streisand als die zweitbestverdienende Musikerin zwischen Juni 2006 und Juni 2007 mit Einnahmen von etwa 60 Millionen Dollar. Am 17. November 2008 kehrte Streisand ins Studio zurück, um die Aufnahmen für ihr 63. Album zu beginnen, und es wurde bekannt gegeben, dass Diana Krall das Album produzierte. Streisand gehörte zu den Preisträgern der Kennedy Center Honors 2008. Am 7. Dezember 2008 besuchte sie das Weiße Haus im Rahmen der Zeremonie.

Am 25. April 2009 strahlte CBS Streisands neuestes Fernsehspecial, "Streisand: Live in Concert", aus, das den Höhepunkt ihrer Nordamerika-Tour 2006 in Fort Lauderdale, Florida, hervorhob. Am 26. September 2009 gab Streisand eine einmalige Show im Village Vanguard im New Yorker Stadtteil Greenwich Village. Diese Performance wurde später auf DVD als "One Night Only: Barbra Streisand and Quartet at The Village Vanguard" veröffentlicht. Am 29. September 2009 veröffentlichten Streisand und Columbia Records das Studioalbum "Love is the Answer", produziert von Diana Krall. Am 2. Oktober 2009 gab Streisand ihr Debüt in der britischen Fernsehshow mit einem Interview in "Friday Night with Jonathan Ross", um das Album zu promoten. Dieses Album debütierte auf Platz 1 der Billboard 200 und verzeichnete ihre größten wöchentlichen Verkäufe seit 1997, was Streisand zur einzigen Künstlerin in der Geschichte machte, die in fünf verschiedenen Jahrzehnten Nummer-1-Alben erreichte. Am 1. Februar 2010 nahm Streisand zusammen mit über 80 anderen Künstlern eine neue Version der Wohltätigkeitssingle "We Are the World" von 1985 auf.

Im Bild: Barbra Streisand 2005 beim 10th Annual Charity Grand Slam for Children in Las Vegas

Am 11. Oktober 2012 gab Streisand ein dreistündiges Konzert vor 18.000 Zuschauern als Teil der anhaltenden Eröffnungsveranstaltungen des Barclays Center (und Teil ihrer aktuellen "Barbra Live-Tour") in Brooklyn. Es war ihr ersten öffentlicher Auftritt in ihrer Heimatgemeinde. Sie wurde auf der Bühne von Trompeter Chris Botti, dem italienischen Operntrio Il Volo und ihrem Sohn Jason Gould begleitet. Das Konzert beinhaltete musikalische Tributes von Streisand an Donna Summer und Marvin Hamlisch, die beide im Jahr 2012 verstorben waren. Gäste waren unter anderem Barbara Walters, Jimmy Fallon, Sting, Katie Couric, Woody Allen, Michael Douglas und der New Yorker Bürgermeister Michael Bloomberg, sowie die Designer Calvin Klein, Donna Karan, Ralph Lauren und Michael Kors.

Im September 2014 veröffentlichte sie "Partners", ein neues Duett-Album, das Zusammenarbeiten mit Elvis Presley, Andrea Bocelli, Stevie Wonder, Lionel Richie, Billy Joel, Babyface, Michael Bublé, Josh Groban, John Mayer, John Legend, Blake Shelton und Jason Gould beinhaltet. Dieses Album erreichte die Spitze der Billboard 200 mit Verkäufen von 196.000 Exemplaren in der ersten Woche und machte Streisand zur einzigen Künstlerin, die in jedem der letzten sechs Jahrzehnte ein Nummer-eins-Album hatte. Es wurde auch im November 2014 mit Gold und im Januar 2015 mit Platin ausgezeichnet und ist damit Streisands 52. Gold- und 31. Platin-Album. Damit erreichte sie mehr als jede andere weibliche Künstlerin in der Geschichte.

Im Mai 2016 kündigte Streisand das kommende Album "Encore: Movie Partners Sing Broadway" an, das im August nach einer neunstädtischen Konzerttournee, "Barbra: The Music, The Mem'ries, The Magic", mit Auftritten in Los Angeles, Las Vegas, Philadelphia und einer Rückkehr in ihre Heimatstadt Brooklyn, veröffentlicht werden sollte. Im Juni 2018 bestätigte Streisand, dass sie an einem neuen Studioalbum namens "Walls" arbeitete, das am 2. November 2018, kurz vor der US-Zwischenwahl, veröffentlicht wurde. Die erste Single des Albums, "Don't Lie to Me", wurde als Kritik an Amerikas politischem Klima während der Präsidentschaft von Donald Trump geschrieben, während der Titeltrack auf Trumps häufige Forderungen nach einer Mauer an der mexikanischen Grenze anspielt.

Im Bild: Barbra Streisand bei der Premiere des Films "A Guy Thing" 2003

SCHAUSPIELKARRIERE

Barbra Streisands erster Film war eine Neuauflage ihres Broadway-Erfolgs "Funny Girl" (1968), ein künstlerischer und kommerzieller Triumph unter der Regie des Hollywood-Urgesteins William Wyler. Für ihre Rolle erhielt sie den Academy Award 1968 als beste Schauspielerin, den sie sich mit Katharine Hepburn teilte - das einzige Mal, dass es in dieser Oscar-Kategorie ein Unentschieden gab. Ihre nächsten beiden Filme basierten ebenfalls auf Musicals - Jerry Hermans "Hello, Dolly!" unter der Regie von Gene Kelly (1969) und Alan Jay Lerners und Burton Lanes "On a Clear Day You Can See Forever" unter der Regie von Vincente Minnelli (1970) - während ihr vierter Film auf dem Broadway-Stück "The Owl and the Pussycat" (1970) basierte.

In den 1970er Jahren spielte Streisand in mehreren Screwball-Komödien, darunter "What's Up, Doc?" (1972) und "The Main Event" (1979), beide mit Ryan O'Neal, und "For Pete's Sake" (1974) mit Michael Sarrazin. Eine ihrer bekanntesten Rollen in dieser Zeit war in dem Drama "The Way We Were" (1973) mit Robert Redford, für die sie eine Oscar-Nominierung als beste Schauspielerin erhielt. Ihren zweiten Academy Award für den besten Originalsong (mit Texter Paul Williams) erhielt sie für den Song "Evergreen" aus "A Star Is Born" von 1976, in dem sie auch die Hauptrolle spielte.

Zusammen mit Paul Newman, Sidney Poitier und später Steve McQueen gründete Streisand 1969 die First Artists Production Company, damit Schauspieler Filmprojekte für sich selbst entwickeln konnten. Streisands erstes Projekt mit First Artists war "Up the Sandbox" (1972).

Von 1969 bis 1980 erschien Streisand in der Top Ten Money Making Stars Poll, der jährlichen Umfrage der Kinobetreiber zu den Top 10 der Kassenattraktionen, insgesamt 10 Mal, oft als einzige Frau auf der Liste.

Im Bild: James Brolin und Barbra Streisand 2003 bei einem Pressetermin in New York

In ihrer Schauspielkarriere hat Barbra Streisand lediglich in acht Filmen mitgewirkt. Sie gründete 1972 ihre eigene Produktionsfirma, Barwood Films, und produzierte eine Reihe ihrer eigenen Filme. Ihr erster Film, "Yentl" (1983), wurde von jedem Hollywood-Studio mindestens einmal abgelehnt, als sie darum bat, nicht nur die Regie zu führen, sondern auch die Hauptrolle zu spielen. Erst als Orion Pictures das Projekt übernahm und dem Film ein Budget von 14 Millionen Dollar zur Verfügung stellte, konnte er realisiert werden. Bei "Yentl" (1983) war Streisand Produzentin, Regisseurin und Hauptdarstellerin, eine Rolle, die sie auch bei "The Prince of Tides" (1991) und "The Mirror Has Two Faces" (1996) übernahm. Es gab Kontroversen, als "Yentl" fünf Oscar-Nominierungen erhielt, jedoch keine in den Hauptkategorien Bester Film, Beste Schauspielerin oder Beste Regisseurin. "The Prince of Tides" erhielt sogar noch mehr Oscar-Nominierungen, darunter für den Besten Film und das Beste Drehbuch, jedoch nicht für die Regie. Nach Fertigstellung des Films bezeichnete der Drehbuchautor Pat Conroy, der auch den Roman verfasst hatte, Streisand als "eine Göttin, die auf der Erde wandelt". Streisand hat auch das Drehbuch für "Yentl" (zusammen mit Jack Rosenthal) verfasst, eine Tatsache, für die sie nicht immer Anerkennung erhielt. Laut Andrew Rosenthal, dem Redaktionsleiter der New York Times, ärgert es Streisand besonders, wenn sie nicht als Mitautorin von "Yentl" anerkannt wird. 2004 kehrte Streisand nach einer achtjährigen Pause zur Schauspielerei zurück und spielte in der Komödie "Meet the Fockers" (eine Fortsetzung von "Meet the Parents") neben Dustin Hoffman, Ben Stiller, Blythe Danner und Robert De Niro. Im Jahr 2005 erwarben Streisands Barwood Films, Gary Smith und Sonny Murray die Rechte an Simon Mawers Buch "Mendel's Dwarf".

Im Bild: Barbra Streisand und Robert De Niro 2004 am Set des Films "Meet The Fockers" in Los Angeles

Im Dezember 2008 äußerte Barbra Streisand, dass sie über die Regie einer Adaption von Larry Kramers Stück "The Normal Heart" nachdenke, ein Projekt, an dem sie seit Mitte der 1990er Jahre arbeitet. Zwei Jahre später, im Dezember 2010, trat sie in "Little Fockers" auf, dem dritten Film der "Meet the Parents"-Trilogie, in dem sie erneut die Rolle der Roz Focker neben Dustin Hoffman spielte. Anfang 2011 gab Paramount Pictures grünes Licht für die Dreharbeiten zur Roadtrip-Komödie "My Mother's Curse", in der Seth Rogen den Sohn von Streisands Figur spielte. Anne Fletcher führte Regie bei diesem Projekt, das von Dan Fogelman geschrieben und von Lorne Michaels, John Goldwyn und Evan Goldberg produziert wurde. Streisand, Rogen, Fogelman und David Ellison von Skydance Productions, die den Roadmovie mitfinanzierten, waren als ausführende Produzenten tätig. Die Dreharbeiten begannen im Frühjahr 2011 und endeten im Juli. Der Filmtitel wurde später in "The Guilt Trip" geändert und der Film kam im Dezember 2012 in die Kinos.

Streisand war für die Hauptrolle in einer Filmadaption des Musicals "Gypsy" vorgesehen, mit Musik von Jules Styne, einem Buch von Arthur Laurents und Texten von Stephen Sondheim. Richard LaGravenese war angeblich als Drehbuchautor für das Projekt vorgesehen. Im April 2016 wurde berichtet, dass Streisand in fortgeschrittenen Verhandlungen stand, um in dem Film, der von Barry Levinson inszeniert und von STX Entertainment vertrieben werden sollte, mitzuwirken und ihn zu produzieren. Zwei Monate später war das Drehbuch des Films fertig und die Produktion sollte Anfang 2017 beginnen. Allerdings wurde 2019 berichtet, dass Streisand das Projekt verlassen hatte.

2015 gab es Pläne, dass Streisand die Regie für eine Filmbiografie über die russische Kaiserin Katharina die Große aus dem 18. Jahrhundert führen sollte, basierend auf dem besten Drehbuch der Black List 2014, produziert von Gil Netter, mit Keira Knightley in der Hauptrolle. Bis 2022 hat sich jedoch nichts aus diesen Plänen ergeben.

Im Bild: Robert Redford zusammen mit Barbra Streisand 2002 bei den 74. jährlichen Academy Awards in Hollywood

IHRE STIMME

Streisand ist im Besitz einer Mezzosopran-Stimmlage, die Howard Cohen von der Miami Herald als "unvergleichlich" bezeichnet hat. Obwohl sie keine Noten lesen oder schreiben kann, hört Barbra Melodien als fertige Kompositionen in ihrem Kopf. Sie nimmt eine Melodie auf und lernt sie schnell. Barbra hat ihre Fähigkeit, lange Töne zu halten, entwickelt, weil sie es wollte. Sie kann eine Melodie formen, die andere nicht können und sie kann zwischen Gesang und Sprechgesang singen, dabei die Melodie halten, den Rhythmus tragen und die Bedeutung vermitteln. Obwohl sie hauptsächlich eine Pop-Sängerin ist, wurde Streisands Stimme aufgrund ihrer Stärke und Klangqualität als "halb-operatisch" beschrieben. Laut Adam Feldman von Time Out ist Streisands "charakteristischer Gesangsstil" "eine Hängebrücke zwischen altmodischem Belting und Mikrofon-Pop".

Barbra Streisand ist für ihre Fähigkeit bekannt, relativ hohe Töne, sowohl laut als auch leise, mit großer Intensität zu halten. Dies brachte den klassischen Pianisten Glenn Gould dazu, sich selbst als "Streisand-Fanatiker" zu bezeichnen. Sie ist auch für ihre Fähigkeit bekannt, eine Melodielinie mit subtilen, aber unauffälligen Verzierungen zu versehen. Seit etwa 2010 haben Kritiker und Publikum festgestellt, dass ihre Stimme "tiefer geworden ist und gelegentlich eine raue Kante angenommen hat". Stephen Holden, Musikkritiker der New York Times, stellte jedoch fest, dass ihr unverwechselbarer Ton und ihre musikalischen Instinkte erhalten geblieben sind und dass sie immer noch "das Geschenk hat, ein grundlegendes menschliches Verlangen in einem schönen Klang zu vermitteln".

Im Bild: Barbra Streisand und Clint Eastwood 2005 bei den 77. jährlichen Academy Awards

PRIVATLEBEN

Barbra Streisand hat zweimal den Bund der Ehe geschlossen. Ihr erster Ehemann war der Schauspieler Elliott Gould, den sie am 13. September 1963 geheiratet hat. Am 12. Februar 1969 gaben sie ihre Trennung bekannt und ließen sich am 6. Juli 1971 scheiden. Aus dieser Ehe ging ein Kind hervor, Jason Gould, der in "The Prince of Tides" ihren Filmsohn spielte. In den Jahren 1969 und 1970 war Streisand mit dem kanadischen Premierminister Pierre Trudeau liiert. 1973 begann sie eine Beziehung mit dem Friseur und Produzenten Jon Peters, der später ihr Manager und Produzent wurde. Während der Dreharbeiten zu "Yentl" trennten sie sich 1982, blieben jedoch Freunde. Sie ist die Patin seiner Töchter, Caleigh Peters und Skye Peters. Von November 1983 bis Oktober 1987 lebte Streisand mit Richard Baskin zusammen, dem Erben der Eiskrem-Marke Baskin-Robbins, der die Texte zu "Here We Are At Last" auf ihrem 1984er Album "Emotion" schrieb. Sie war von Dezember 1987 bis mindestens September 1988 mit dem Schauspieler Don Johnson zusammen und mit dem sie ein Duett von "Till I Loved You" aufnahm. 1983 hatte Streisand eine kurze Beziehung mit dem Schauspieler Richard Gere und 1989 mit Clint Eastwood. Von 1989 bis 1991 war sie mit dem Komponisten James Newton Howard liiert.

Im Bild: Bill Clinton und Barbra Streisand 2006 beim Clinton Global Initiative in New York

CLINTON GLOBAL INITIATIVE
I commit to make a difference in the fight against climate change
Through $1,000,000 in support of the Clinton Climate Initiative (CCI) which will create a consortium through which cities around the world can buy energy-saving products to drive down greenhouse gas emissions.
On this day September 22nd, 2006
William Jefferson Clinton
CLINTON GLOBAL INITIATIVE
GLOBAL INITIATIVE
GLOBAL INITIATIVE
GLOBAL INITIATIVE

Streisand war von 1992 bis 1993 mit dem Tennis-Champion Andre Agassi zusammen. In seiner Autobiografie aus dem Jahr 2009 äußerte sich Agassi über seine Beziehung zu Streisand und betonte, dass sie trotz des Altersunterschieds von 28 Jahren gut zueinander passen. Er fügte hinzu, dass die öffentliche Kritik ihrer Beziehung nur zusätzliche Würze verleiht und sie sich dadurch rebellisch und verboten anfühlt. Er verglich das Daten mit Streisand mit dem Tragen von "Hot Lava". In den frühen bis mittleren 90er Jahren hatte Streisand romantische Beziehungen zu mehreren prominenten Männern, darunter Nachrichtensprecher Peter Jennings und die Schauspieler Liam Neeson, Jon Voight und Peter Weller. Ihr zweiter Ehemann ist der Schauspieler James Brolin, den sie am 1. Juli 1998 heiratete. Das Paar hat keine gemeinsamen Kinder. Brolin hat zwei Söhne aus seiner ersten Ehe, darunter den Schauspieler Josh Brolin, und eine Tochter aus seiner zweiten Ehe.

Im Bild: Barbra Streisand während eines Konzerts 2007 in Paris

NAME

Streisand entschied sich, ihren Vornamen "Barbara" in "Barbra" zu ändern, da sie, wie sie selbst sagte, den Namen nicht mochte, aber sich weigerte, ihn komplett zu ändern. Sie erklärte weiter, dass sie mit 18 Jahren einzigartig sein wollte, aber es ihr zu unaufrichtig erschien, ihren Namen komplett zu ändern. Sie erinnerte sich an Vorschläge, sie könnte sich Joanie Sands nennen (ihr zweiter Vorname ist Joan), aber sie entschied sich dagegen und entfernte stattdessen ein "a" aus ihrem Vornamen, um ihn einzigartig zu machen, aber dennoch als "Barbara" erkennbar zu lassen. Als die digitale Sprachassistentin Siri von Apple ihren Nachnamen falsch aussprach, kontaktierte sie den CEO von Apple, Tim Cook, um sich zu beschweren, und er ließ es korrigieren.

Im Bild: Barbra Streisand 2007 während ihres Besuchs einer Ausstellung

POLITISCHE EINSTELLUNG

Zu Beginn ihrer Karriere zeigte Streisand nur begrenztes politisches Interesse, abgesehen von ihrer Beteiligung an den Aktivitäten der Anti-Atom-Gruppe Women Strike for Peace in den Jahren 1961 und 1962. Ihr politisches Engagement nahm jedoch 1968 zu, als sie sich aktiv für die Präsidentschaftskampagne von Eugene McCarthy einsetzte, der gegen den Vietnamkrieg war. Im Juli desselben Jahres trat sie zusammen mit Harry Belafonte und anderen bei einem Benefizkonzert im Hollywood Bowl auf, das von der Southern Christian Leadership Conference gesponsert wurde, um den Armen zu helfen.

Streisand ist eine engagierte Unterstützerin der Demokratischen Partei und ihrer Anliegen. Sie gehörte zu den Prominenten, die 1971 auf der Liste der politischen Feinde von Präsident Richard Nixon standen. 1972 unterstützte sie die Präsidentschaftskampagne des Anti-Kriegs-Kandidaten George McGovern, indem sie das Benefizkonzert "Four for McGovern" leitete, das von Schauspieler Warren Beatty und Plattenproduzent Lou Adler organisiert wurde. Ihre Konzertaufnahme wurde als "Live Concert at the Forum" veröffentlicht.

Im Bild: George Stevens, Michael M. Kaiser, Condoleezza Rice und Stephen A. Schwarzman mit den Preisträgern der Kennedy Center Honors 2008 in Washington D.C., darunter Barbra Streisand, Morgan Freeman, Twyla Tharp, Roger Daltrey, Pete Townshend und George Jones

Im folgenden Jahr trat sie zusammen mit dem liberalen Aktivisten Stanley Sheinbaum und der American Civil Liberties Union bei einem Benefizkonzert im Anwesen des Film-Moguls Jennings Lang auf, um die juristische Verteidigung von Daniel Ellsberg, bekannt durch die Pentagon-Papiere, zu finanzieren. Mit Marvin Hamlisch am Klavier und einer kleinen Begleitband sammelte Streisand durch bezahlte Songanfragen aus dem prominenten Publikum und per Telefon insgesamt 50.000 Dollar an einem Abend. Im Jahr 1984 gründete sie zusammen mit Jane Fonda und zehn weiteren Persönlichkeiten aus der Film- und Fernsehbranche die Aktivistengruppe Hollywood Women's Political Committee (HWPC), die schließlich auf 300 Mitglieder anwuchs. Über ein Jahrzehnt hinweg setzte sich die HWPC für liberale Anliegen ein und trug zur Mehrheitsübernahme der Demokratischen Partei bei den US-Senatswahlen 1986 bei. Sie finanzierte auch die Präsidentschaftswahl von Bill Clinton im Jahr 1992 und unterstützte das "Jahr der Frau" durch die Wahl mehrerer weiblicher Senatoren. 1995 hielt Streisand an der John F. Kennedy School of Government der Harvard University eine Rede über die Rolle des Künstlers als Bürger und sprach sich für Kunstprogramme und deren Finanzierung aus.

Im Bild: James Brolin und seine Frau Barbra Streisand bei der Premiere des Films "Jonah Hex" in Hollywood

BROLIN
THOMAS TULL
NEVELDINE & TAYLOR

Streisand unterstützt die Rechte von LGBT und engagierte sich gegen die "No on 8"-Kampagne, konnte jedoch den kalifornischen Volksentscheid 8 im Jahr 2008 nicht verhindern. 2012 äußerte sie sich kritisch zu den neuen Gesetzen, die US-Bürger dazu verpflichten, bei Wahlen einen Lichtbildausweis vorzulegen, da sie diese als Versuch sieht, älteren und Minderheitenbürgern das wertvolle Recht zu nehmen, ihre Stimme abzugeben.

Barbra Streisand hat sich vehement gegen die Gesetze ausgesprochen, die sie als rückschrittlich und als größte Bedrohung für die amerikanische Demokratie ansieht, da sie ihrer Meinung nach den Wahlbetrug fördern. Sie setzte ihre Bemühungen für das Wahlrecht im Jahr 2020 fort und teilte einen Link zu VoteRiders, einer gemeinnützigen Organisation, die Bürgern dabei hilft, eine Wähler-ID zu erhalten.

Im Juni 2013 war Streisand an den Feierlichkeiten zum 90. Geburtstag von Shimon Peres in Jerusalem beteiligt. In derselben Woche trat sie auch bei zwei weiteren Konzerten in Tel Aviv auf, was Teil ihrer ersten Konzerttournee durch Israel war.

Im Januar 2017 nahm sie am Women's March in Los Angeles teil, wo sie von Rufus Wainwright vorgestellt wurde und eine Rede hielt.

In einem Interview mit Emma Brockes von The Guardian im Oktober 2018 sprach Streisand über das Thema ihres neuen Albums "Walls" und äußerte ihre Besorgnis über die Gefahr, die Präsident Donald Trump ihrer Meinung nach für die Vereinigten Staaten darstellt. Sie äußerte sich besorgt über die aktuelle Situation in der Nation und bezeichnete Trump als korrupt und unanständig, der die Institutionen des Landes angreift. Sie betonte, dass dies eine sehr beängstigende Zeit sei und betete dafür, dass mitfühlende Menschen, die die Wahrheit respektieren, zur Wahl gehen würden. Sie forderte die Menschen auf, nicht nur zu wählen, sondern für die Demokraten zu stimmen.

Im Bild: Barbra Streisand während ihrer Performance bei der Live-Übertragung der Oscars 2013 in Hollywood

EHRENAMTLICHES ENGAGEMENT

Im Jahr 1984 machte Barbra Streisand der Hebräischen Universität von Jerusalem ein großzügiges Geschenk: das Emanuel Streisand Gebäude für jüdische Studien auf dem Mount Scopus Campus. Sie tat dies in Erinnerung an ihren Vater, einen Gelehrten und Pädagogen, der starb, als sie noch sehr jung war. Streisand hat durch ihre Live-Auftritte persönlich 25 Millionen Dollar für verschiedene Organisationen gesammelt. Die Streisand Foundation, die sie 1986 gründete, hat über 16 Millionen Dollar in fast 1.000 Zuschüsse gesteckt. Diese gingen an nationale Organisationen, die sich für den Umweltschutz, Wählerbildung, den Schutz von Bürgerrechten und Bürgerfreiheiten, Frauenfragen und nukleare Abrüstung einsetzen. Im Jahr 2006 spendete Streisand eine Million Dollar an die William J. Clinton Foundation, um die Klimawandel-Initiative des ehemaligen Präsidenten Bill Clinton zu unterstützen. Drei Jahre später, im Jahr 2009, stiftete sie 5 Millionen Dollar für das Barbra Streisand Frauen-Kardiovaskuläre Forschungs- und Bildungsprogramm am Cedars-Sinai Medical Center's Women's Heart Center. Im selben Jahr wurde sie von der Parade-Zeitschrift in ihrer jährlichen "Giving Back 30"-Umfrage, die die großzügigsten Prominenten nach ihren öffentlich bekannten Spenden auflistet, als drittgroßzügigste Berühmtheit eingestuft.

Im Bild: Barbra Streisand 2013 bei einem Auftritt in London

Die Wohltätigkeitsorganisation The Giving Back Fund berichtete, dass Streisand 11 Millionen Dollar gespendet hat, die von der Streisand Foundation verteilt wurden. Im Jahr 2012 sammelte sie 22 Millionen Dollar zur Unterstützung ihres Zentrums für Frauenherzgesundheit, wobei sie selbst 10 Millionen Dollar beisteuerte. Das Programm wurde offiziell als Barbra Streisand Women's Heart Center benannt. Im Oktober 2009 versteigerte Streisand, eine langjährige Sammlerin von Kunst und Möbeln, bei Julien's Auctions 526 Artikel, deren Erlös vollständig ihrer Stiftung zugutekam. Unter den versteigerten Gegenständen befanden sich ein Kostüm aus dem Film "Funny Lady" und ein antiker Zahnarztschrank, den die Künstlerin im Alter von 18 Jahren erworben hatte. Das wertvollste Stück der Auktion war ein Gemälde von Kees van Dongen. Im Dezember 2011 nahm sie an einer Spendengala für Wohltätigkeitsorganisationen der Israelischen Verteidigungsstreitkräfte teil. Im Juni 2020 schenkte sie Gianna Floyd, der Tochter von George Floyd, Aktien von Disney. Am 22. September 2022 lud Volodymyr Zelenskyy, der Präsident der Ukraine, Streisand ein, Botschafterin für die Plattform UNITED24 zu werden, die sich auf medizinische Hilfe konzentriert. Mit ihrer Hilfe konnten 240.000 Dollar für medizinische Versorgung gesammelt werden.

Im Bild: Barbara Streisand 2015 bei den 67. jährlichen Directors Guild of America Awards im Hyatt Regency Century Plaza in Los Angeles

AUSZEICHNUNGEN

Im Jahr 1964 wurde Barbra Streisand mit dem Distinguished Merit Award von Mademoiselle ausgezeichnet und ein Jahr später als Miss Ziegfeld ausgewählt. Sie erhielt 1968 die Israel Freedom Medal, die höchste zivile Auszeichnung Israels. Im folgenden Jahr wurde sie mit dem Pied Piper Award von ASCAP und dem Prix De L'Academie Charles Cros geehrt, sowie mit dem Crystal Apple ihrer Heimatstadt New York. 1978 erkannte die Anti-Defamation League sie als Frau der Errungenschaft in den Künsten an.

1984 wurde Streisand mit dem Women in Film Crystal Award ausgezeichnet, der herausragende Frauen ehrt, die durch ihre Ausdauer und exzellente Arbeit dazu beigetragen haben, die Rolle der Frau in der Unterhaltungsindustrie zu erweitern. Sie erhielt den Woman of Courage Award von der National Organization for Women (NOW), den Ordre des Arts et des Lettres und den Scopus Award von den American Friends of the Hebrew University. 1991 wurde sie für ihre "Filme, die Frauen mit ernsthafter Komplexität darstellen" mit den Breakthrough Awards beim Women, Men and Media Symposium ausgezeichnet.

1992 erhielt sie den Commitment to Life Award von AIDS Project Los Angeles (APLA) und den Bill of Rights Award von der American Civil Liberties Union of Southern California, die Dorothy Arzner Special Recognition von Women in Film und den Golden Plate von der Academy of Achievement. 1994 wurde sie mit dem Harry Chapin Humanitarian Award von ASCAP und 1995 mit dem Peabody Award geehrt. Im selben Jahr verlieh ihr die Brandeis University einen Ehrendoktortitel in Kunst und Geisteswissenschaften. Sie wurde auch mit dem Filmmaker of the Year Award für "ein Lebenswerk im Filmemachen" von ShowEast und dem Peabody Award im Jahr 1996 ausgezeichnet, sowie mit dem Christopher Award im Jahr 1998.

Im Bild: Barbra Streisand und James Brolin 2012 in Indian Wells

Im Jahr 2000 wurde Barbra Streisand von Präsident Bill Clinton mit der National Medal of Arts ausgezeichnet, der höchsten speziell für künstlerische Leistungen vergebenen Ehrung. Sie erhielt auch den Titel "Living Legend" der Library of Congress und den AFI Life Achievement Award des American Film Institute, die höchste Auszeichnung für eine Filmkarriere. Darüber hinaus wurde sie mit dem Liberty and Justice Award der Rainbow/PUSH Coalition, dem Gracie Allen Award und dem First Annual Jewish Image Award im Jahr 2001 geehrt. Im Jahr 2004 erhielt sie den Humanitarian Award der Human Rights Campaign "für ihre jahrelange Führung, Vision und Aktivität im Kampf für Bürgerrechte, einschließlich Religion, Rasse, Geschlechtergleichheit und Redefreiheit, sowie alle Aspekte der Schwulenrechte".

Im Jahr 2007 verlieh ihr der französische Präsident Nicolas Sarkozy die Ehrenlegion, die höchste Auszeichnung Frankreichs. Präsident George W. Bush verlieh ihr die Kennedy Center Honors, die höchste Anerkennung für kulturelle Leistungen. Im Jahr 2011 erhielt sie den Board of Governors Humanitarian Award des Cedars-Sinai Heart Institute für ihre Bemühungen um die Herzgesundheit von Frauen und ihre zahlreichen anderen philanthropischen Aktivitäten. Sie erhielt den L'Oréal Paris Legend Award im Rahmen der 18. Elle Magazine Women in Hollywood. Im Jahr 2012 erhielt sie einen Lifetime Achievement Award vom Women Film Critics Circle. Im Jahr 2013 wurde ihr von der Hebräischen Universität Jerusalem ein Ehrendoktor der Philosophie verliehen. Im selben Jahr erhielt sie auch den Charlie Chaplin Award für ihr Lebenswerk von der Film Society of Lincoln Center als einzige weibliche Künstlerin, die in demselben großen Studiofilm, Yentl, Regie führte, schrieb, produzierte und spielte, zusammen mit einem Lifetime Achievement Glamour Award. Im Jahr 2014 war Streisand auf einem von acht verschiedenen New York Magazine-Covern zu sehen, die das Magazin "100 Jahre, 100 Songs, 100 Nächte: Ein Jahrhundert Popmusik in New York" feierten.

Im Bild: Seth Rogen und Barbra Streisand 2012 bei der Kinopremiere von "The Guilt Trip" in Los Angeles

Barbra Streisand hat im Laufe ihrer Karriere zahlreiche Auszeichnungen und Anerkennungen erhalten. Sie wurde mit dem Board of Governors Award der American Society of Cinematographers (ASC) geehrt und erhielt den Sherry Lansing Leadership Award beim jährlichen Women in Entertainment Breakfast des Hollywood Reporter. 2015 führte sie die 1010 Wins Iconic Celebrity Umfrage von CBS an. Im selben Jahr kündigte Präsident Barack Obama an, dass Streisand die Presidential Medal of Freedom erhalten würde, die höchste zivile Auszeichnung der USA.

Streisand wurde in verschiedene Ruhmeshallen aufgenommen, darunter der Hollywood Walk of Fame (1976), die Goldmine Hall of Fame (2002). 1970 erhielt sie einen Special Tony Award als "Star des Jahrzehnts" und wurde 1980 von der National Association of Theatre Owners (NATO) zum "Star des Jahrzehnts" gewählt. 1988 erhielt sie den NATO/ShowWest "Star of Decade" und den President's Award von NARM. Im selben Jahr wurde sie von den People's Choice Awards zum "All-Time Favorite Musical Performer" gekürt.

1986 nannte das Magazin Life sie eine der "Fünf mächtigsten Frauen Hollywoods". 1998 berichtete die Harris-Umfrage, dass sie die "beliebteste Sängerin unter erwachsenen Amerikanern aller Altersgruppen" ist. Sie wurde in die Liste der 100 Greatest Women of Rock N Roll von VH1 aufgenommen und vom Mojo magazine zu den Top 100 Sängern aller Zeiten gezählt. Sie wurde zur besten Sängerin des Jahrhunderts in einer Reuters/Zogby-Umfrage gewählt und 1999 von der Recording Industry Association of America zum "Top Female Artist of the Century" ernannt. 2006 war Streisand eine der Geehrten beim weißen Krawatten-Legends Ball von Oprah Winfrey. 2015 zählte der Daily Telegraph Streisand zu den zehn besten weiblichen Singer-Songwritern aller Zeiten.

Im Bild: Barbra Streisand 2013 bei der 40. Anniversary Chaplin Award Gala in New York

film society lincoln center
JAEGER-LECOULTRE
film society lincoln center
40TH ANNIVERSARY CHAPLIN AWAR GALA
American Airlines
film society lincoln center
American Airlines
40TH ANNIVERSARY CHAPLIN AWARD GALA

Als Ikone der LGBTQ+-Gemeinschaft wurde Streisand von The Advocate als eine der "25 coolsten Frauen" und "9 coolsten Frauen, die sowohl Lesben als auch schwule Männer ansprechen" bezeichnet. Out Magazine zählte sie zu den "12 größten weiblichen Gay-Ikonen aller Zeiten". Gay Times erkannte sie als eine der wichtigsten Gay-Ikonen der letzten drei Jahrzehnte an.

Im ersten Jahrzehnt des 21. Jahrhunderts ehrte das American Film Institute 100 Jahre der besten Filme im amerikanischen Kino. Vier von Streisands Liedern wurden in AFI's 100 Years ... 100 Songs aufgenommen, die "Amerikas größte Musik in den Filmen" hervorheben: "The Way We Were" auf Platz 8, "Evergreen (Love Theme From A Star Is Born)" auf Platz 16, "People" auf Platz 13 und "Don't Rain on My Parade" auf Platz 46. Viele ihrer Filme wurden in der AFI's 100 Years ... Serie vorgestellt.

Die Library of Congress wählte "Funny Girl" im Dezember 2016 zur Erhaltung in das National Film Registry. Als "People" im März 2017 zur Erhaltung in das National Recording Registry ausgewählt wurde, äußerte Streisand ihre Demut, dass das Lied "als Teil des Flusses unserer nationalen Kultur" geehrt wurde.

Im Bild: Barbra Streisands Stern auf dem Hollywood Walk of Fame in Los Angeles

BARBRA STREISAND

MITGLIEDSCHAFTEN

Barbra Streisand, eine der am meisten gelobten Künstlerinnen in ihrer Branche, hat sich als Schauspielerin, Sängerin, Regisseurin, Autorin, Komponistin, Produzentin, Designerin, Fotografin und Aktivistin einen Namen gemacht. Sie ist die einzige Künstlerin, die gleichzeitig Mitglied in der American Society of Composers, Authors and Publishers, der Screen Actors Guild, der American Federation of Television and Radio Artists, der Academy of Motion Pictures Arts and Sciences und der Actors' Equity Association ist. Darüber hinaus ist sie die Ehrenvorsitzende des Vorstands des Internationalen Forschungsinstituts für Frauen von Hadassah.

Im Bild: Barbra Streisand 2015 im Weißen Haus in Washington, DC, wo sie auf die Verleihung der Presidential Medal of Freedom wartet

DER STREISAND-EFFEKT

Im Jahr 2003 reichte Barbra Streisand eine Klage ein, in der sie behauptete, eine Webseite, die Küstenerosion darstellte, habe ihre Privatsphäre verletzt, da eines ihrer über 12.000 Bilder zufällig ihr Haus in Malibu, Kalifornien, zeigte. Streisand forderte, dass das Bild von der Seite entfernt wird. Die Klage wurde jedoch abgewiesen und die daraus resultierende öffentliche Aufmerksamkeit führte dazu, dass Hunderttausende von Menschen das Foto herunterluden, das vor Streisands rechtlichen Schritten nur viermal aufgerufen worden war. Der Begriff "Streisand-Effekt" wurde geprägt, um auf einen Versuch hinzuweisen, Informationen zu zensieren, was unbeabsichtigt zu deren Veröffentlichung führt.

Im Bild: Barbra Streisand 2017 während des Tribeca Film Festivals in New York

TRIBECA
FILM
PRESENTED BY
AT&T

Barbra Streisand wird von verschiedenen Medien als "Queen of the Divas" bezeichnet. Die New York Times zählt sie zu den drei am meisten geliebten Divas Amerikas, neben Dolly Parton und Patti Labelle. Vulture würdigt ihr anhaltendes Vermächtnis und betont, dass ihre Werke Einfluss auf Künstler wie Céline Dion, Lionel Richie und Luther Vandross in den 1980er Jahren sowie auf die emotionaleren Balladen von Mariah Carey, Adele und Whitney Houston hatten. Forbes bezeichnet Streisand als "Queen of the Charts" aufgrund ihrer beeindruckenden Langlebigkeit in den Billboard-Charts. Die Los Angeles Times lobt sie als "einflussreichste weibliche Sängerin" und "revolutionärste der Künstlerinnen", da sie die Regeln für nachfolgende weibliche Künstlerinnen verändert hat. CNN zählt sie zu den romantischsten Sängern des 20. Jahrhunderts.

Im Jahr 2023 platzierte Rolling Stone Streisand auf Platz 147 seiner Liste der 200 besten Sänger aller Zeiten. 1997 würdigte das New York Magazine ihren Sinn für Mode und stellte fest, dass sie "eine surreale, chamäleonartige, persönliche Mode-Reise" begonnen hat, die in den 1960er Jahren die Retro-Revolution einleitete.

Im Bild: Barbara Streisand präsentiert den Golden Globe Award bei der 75. jährlichen Golden Globe Verleihung in Beverly Hills 2018

Impressum

Für Fragen und Anregungen: 27AmigosVerlag@gmail.com

Linus Willnauer
Marktstrasse 10
80802 München

Dieses Buch wurde vom Künstler oder Management nicht autorisiert.

Printed in the EU

ISBN 978-3-7505-6188-5

Bildnachweise

IMAGO / Cinema Publishers Collection; IMAGO / EntertainmentPictures; IMAGO / EntertainmentPictures; IMAGO / EntertainmentPictures; IMAGO / EntertainmentPictures; IMAGO / United Archives; IMAGO / EntertainmentPictures; IMAGO / EntertainmentPictures; IMAGO / EntertainmentPictures; IMAGO / Cinema Publishers Collection; IMAGO / United Archives; IMAGO / Cinema Publishers Collection; IMAGO / EntertainmentPictures; IMAGO / EntertainmentPictures; IMAGO / United Archives; IMAGO / United Archives; IMAGO / ZUMA Wire; IMAGO / UPI Photo; IMAGO / UPI Photo; IMAGO / Rideaux-PicturePerfect; IMAGO / UPI Photo; IMAGO / EntertainmentPictures; IMAGO / ZUMA Wire; IMAGO / ZUMA Wire; IMAGO / ZUMA Wire; imago/UPI Photo; IMAGO / SKATA; IMAGO / UPI Photo; IMAGO / PicturePerfect; imago images/Cinema Publishers Collection; IMAGO / APress; IMAGO / UPI Photo; IMAGO / ZUMA Wire; IMAGO / APress; IMAGO / APress; IMAGO / PanoramiC; IMAGO / ZUMA Wire; IMAGO / CordonPress; imago/Picturelux